Inhalt

Satz-Spiele 2

Satzarten 4

Satzglieder I 13

Satzglieder II 20

Attribute 31

Sätze verknüpfen 36

Test 42

G–S 2: Zootiere

1.):

Der alte Tiger wetzt träge seine Krallen.
Ein Elefantenbaby folgt seiner Mutter in den Stall.
Um drei Uhr werden die Pinguine mit toten Fischen gefüttert.
Eine Giraffe hat das Junge ihrer Rivalin aus Eifersucht gebissen. Auch:
... aus Eifersucht das Junge ihrer Rivalin ...

2.):

Heute Morgen hat die Schimpansenhorde ihr Futter mit lautem Geschrei empfangen.
Am Beckenrand applaudieren begeisterte Zuschauer den Seehunden wegen ihrer tollen Kunststücke.

G–S 3: Wildwest

3.):

Vier schwarz gekleidete Männer näherten sich _auf schnellen Pferden der kleinen Goldgräberstadt_. Der Sheriff des Städtchens machte _gerade seine morgendliche Runde_.
Argwöhnisch blickte er _den Männern_ entgegen. Die Reiter galoppierten _in hohem Tempo an dem Gesetzeshüter_ vorbei.
Vor dem kleinen Bankgebäude zügelten sie _abrupt ihre Pferde_. Zwei Männer blieben _in ihren Sätteln_ sitzen.
Die anderen beiden betraten _die Bank_. _Plötzlich_ knallte ein Schuss.

4. a): Beispiel für eine sinnvolle Reihenfolge

(2) Der andere Bandit folgte ihm mit gezogenem Revolver.
(4) Durch die Knallerei bäumten sich die Pferde der Banditen auf.
(7) Nur ein einziger Mann entkam auf dem Rücken seines Pferdes.
(3) Geistesgegenwärtig schoss der Sheriff mehrmals in die Luft.
(6) Zehn Minuten später konnte der Sheriff drei Männer verhaften.
(5) Die beiden Reiter stürzten daraufhin aus dem Sattel.
(1) Ein schwarz gekleideter Mann taumelte angeschossen aus der Bank.

Satz-Spiele

4. b): Beispiel

Als der Sheriff der kleinen Goldgräberstadt gerade wie gewöhnlich seine morgendliche Runde machte, näherten sich vier schwarz gekleidete Männer auf schnellen Pferden. Aufgrund der riesigen Staubwolke blickte er den Männern argwöhnisch entgegen und schon bald galoppierten die Reiter in hohem Tempo an dem Gesetzeshüter vorbei. Er staunte nicht schlecht, als sie vor dem kleinen Bankgebäude abrupt ihre Pferde zügelten. Der Sheriff beobachtete, dass zwei Männer in ihren Sätteln sitzen blieben, während die anderen beiden die Bank betraten. Sekunden später knallte plötzlich ein Schuss und ein schwarz gekleideter Mann taumelte angeschossen aus der Bank. Der andere Bandit folgte ihm mit gezogenem Revolver. Geistesgegenwärtig schoss der Sheriff mehrmals in die Luft, sodass sich die Pferde der Banditen durch die Knallerei aufbäumten und die beiden Reiter aus dem Sattel stürzten. Nur ein einziger Mann entkam auf dem Rücken seines Pferdes. Die anderen drei konnte der Sheriff schon zehn Minuten später verhaften.

Satzarten

G–S 6: Die Meiers verreisen

1. a):

... Das Zeichen der Deutschen Bahn *(3)* ist nicht zu übersehen. ... „Da geht es zur U-Bahn *(13)*", erklärt Thorsten seiner kleinen Schwester. ... „Da ist eine Toilette!", ruft Jenny und zeigt auf ein Schild *(14)*. ... „Ihr beiden bleibt hier mit den Taschen stehen und ich laufe eben zur Post *(8)*." ... Kaum ist sein Vater außer Hörweite, sagt er: „Ich hol mir eine Zeitung in dem Geschäft dahinten *(9)*." ... In der Bahnhofshalle gibt es natürlich Telefone *(11)*, ein Restaurant *(10)* und sogar eine Bank *(2)*. Schließfächer für das Gepäck *(5)* sind angezeigt und die Bahnpolizei *(1)* ist ebenfalls hier untergebracht. ... „Gleis 3 *(6)* ist da vorn", sagt Jenny. ... "Wir fahren ja auch mit dem InterCity *(7)*." ... Unser Wagen hält in diesem Abschnitt *(4)*." ..., „unser Zug hat sowieso Verspätung. Da, seht nur *(12)* ..."

1. b):

... <u>nimmt er sie an die Hand</u> ... <u>Thorsten ... verdreht die Augen</u> ... <u>Miriam verzieht das Mündchen</u> ... <u>Jenny nickt</u>, während <u>Thorsten einen Finger auf den Mund legt</u> ... <u>Jenny ... zuckt mit den Schultern</u> ... <u>Er runzelt die Stirn</u> ... <u>Er strahlt ihn an</u> ... <u>Frau Meier ... sieht ihren Mann kopfschüttelnd an</u> ...

1. c):

jemanden führen – er nimmt sie an die Hand
sein Unverständnis über etwas zeigen – Thorsten verdreht die Augen
kurz vor dem Weinen sein – Miriam verzieht das Mündchen
sein Einverständnis zeigen – Jenny nickt
um Verschwiegenheit bitten – Thorsten legt einen Finger auf den Mund
Gleichgültigkeit zeigen – Jenny zuckt mit den Schultern
leicht verärgert sein – Er runzelt die Stirn
jemanden milde stimmen wollen – Er strahlt ihn an
Missfallen zeigen – Frau Meier sieht ihren Mann kopfschüttelnd an

Satzarten 5

| G–S 7: | Ohne Worte ... |

2. a): jeweils von links nach rechts

Willst du meine Braut werden?
Siehst du nicht, wie ich mich für dich herausgeputzt habe?
Wenn du mich nimmst, schenke ich dir den schönsten Schmuck.
Geh weg, ich will dich nicht!
Was soll ich bloß machen, damit sie mich nimmt?
Ich werde dir ein Leben lang treu sein.
Keiner kann so gut tanzen wie ich.
Komm jetzt, meine Geduld ist zu Ende!
Nimm diesen goldenen Ring als Zeichen meiner Liebe!

| G–S 8: | Detektei A•M•Y |

3. a): Antworten hier in der Reihenfolge der Fragesätze

Geben Sie auch etwas, ...?	Ja, natürlich gebe ich auch ein paar Mark.
Glauben Sie, dass ...?	Also, ich würde mich mehr über einen Strauß freuen.
Mögen Sie keine ...?	Nein, weil man mit Topfblumen so viel Arbeit hat.
Finden Sie Schnittblumen oder ...?	Ich finde Topfblumen viel schöner.
Weshalb mögen Sie ...?	Schnittblumen verblühen so schnell.
Aber warum haben Sie dann ...?	Ich habe Blumen lieber auf dem Balkon und deshalb kaufe ich mir morgen auch welche.
Was halten Sie davon, wenn ...?	Davon halte ich eine Menge.
Haben Sie denn auch ...?	Aber sicher habe ich auch Balkonblumen.
Dürfen wir sie ...?	Klar, aber ihr dürft nicht enttäuscht sein, denn sie sind alt.
Wie finden Sie unsere ...?	Eure Idee ist nicht schlecht.
Wo haben Sie denn ...?	Nirgendwo, weil ich keine Zeit habe, sie in die Kästen zu pflanzen.
Mögen Sie auch ...?	Balkonblumen mag ich sogar besonders gern.
Muss man die denn ...?	Ja, aber das geht ganz schnell, wie ich gestern wieder gemerkt habe.
Wollen Sie sich ...?	Nein, für den alten Griesgram gebe ich nichts.

Die Übeltäterin ist *Frau Wolters*.

Satzarten

3. b):
Fragewörter: *weshalb, warum, was, wie, wo – wer, wann, welcher, wozu ...*

3. c):
Von der Form her sind vor allem jene Antworten keine Aussagesätze, die als Antwort nur ein Wort haben (hier: nein, nirgendwo) und die Begründung für diese Kurzantwort mit einer untergeordneten Konjunktion (hier: weil) anhängen. Diese kurze Antwort ist im Gespräch die spontanste Form.

G–S 9:	Kinderkarneval

4. b-c): _____ = Prädikat in Entscheidungsfragen. Es steht vorn!
　　　　Beispiele für Antworten

(1) Wann wurde man denn in das Zelt eingelassen? – Man wurde um 11.11 Uhr in das Zelt eingelassen.
(2) Wie teuer war der Eintritt? – Der Eintritt war frei.
(3) Gab es im Zelt auch etwas zu essen? – Nein, es gab im Zelt nichts zu essen, nur draußen am Imbisswagen.
(4) Welche Getränke konnte man kaufen? – Man konnte Cola, Limo, Wasser und Tee kaufen.
(5) Hat etwa wieder einer Alkohol ins Zelt geschmuggelt? – Ja, einer trank verstohlen aus einer Bierflasche.
(6) Durfte man im Zelt rauchen? – Nein, man durfte im Zelt nicht rauchen.
(7) War die Musik wieder so laut? – Ja, aus den Boxen erklang so laute Musik, dass sich alle in der Nähe die Ohren zuhielten.
(8) Standen überhaupt genug Sitzbänke zur Verfügung? – Nein, die Sitzbänke waren überfüllt, Kinder saßen auf dem Boden.
(9) Ist die Bürgermeisterin wieder als Clown gegangen? – Ja, die Bürgermeisterin ist wieder als Clown gegangen.
(10) Was hat die Gruppe getragen, die den ersten Preis beim Kostümwettbewerb gewonnen hat? – Die Gruppe war als Eisbären kostümiert.
(11) Wer hat die Preise übergeben? – Die Bürgermeisterin hat die Preise übergeben.
(12) Wie hat es dir denn überhaupt gefallen? – Sehr gut!

Satzarten

4. d): Beispiele

Welches Einzelkostüm hat den ersten Preis gewonnen? – Eine Fledermaus hat den ersten Preis gewonnen.
Warst du auch kostümiert? – Nein, aber ich hab mein T-Shirt „Maria" getragen.
Hat jemand seine Musikanlage zur Verfügung gestellt? – Ja, es war dieselbe Anlage wie im vergangenen Jahr.

4. e): Beispiele

Magst du alle Tiere? – Nur wenn du wirklich alle Tiere magst, kannst du mit „ja" antworten, sonst musst du eine Einschränkung machen, z.B.: Ja, aber Krabbeltiere wie Spinnen mag ich überhaupt nicht.
Bist du gut in Mathe und Deutsch? - Wenn du in Deutsch nicht so gut bist, musst du mit „nein" antworten, z.B.: Nein, ich bin nur in Mathe gut.
Willst du einmal selbst Kinder haben? – Wenn du heute schon weißt, dass du einmal Kinder haben bzw. nicht haben willst, kannst du mit „ja" oder „nein" antworten, sonst antwortest du z.B.: Das weiß ich jetzt noch nicht.

G–S 10:	Zwillingsrätsel

5. a):

```
X X P R O S I T N E U J A H R X X X X
X H X X X X X X X X X X X X X P F U I
X U X S C H A D E X X O N E I N X X X
X R X X X X X X X X X X X X X X I X X
X R X W E L C H E I N G L Ü C K X G X H
X A X X X X X X X X X X X X X X X I X A
P X S O E I N E S C H A N D E X X T X L
S X X X X X X X X X X X X X X X X T X L
T X H O P P L A X H I L F E X O H X X O
```

5. b): Beispielformulierungen

Pfui (zu einem Hund)! – Mach, dass du wegkommst!
Hilfe! – Hilf/Helft mir!   Pst! – Sei/Seid still!

5. c): Das Ausrufezeichen fehlt noch.

Mäxchen fällt über seine eigenen Füße. Oma ruft: „*Hoppla*, nicht so schnell!"
„*So eine Schande!*", schimpft Herr Bauer, als er die Graffiti sieht.
Britts Hund springt Onkel Harry an. „*Pfui*, ruft er, „das mag ich aber gar nicht!"

5. d): Beispiele

Um Mitternacht hebt Mutti das Glas und ruft: „Prosit Neujahr, meine Lieben!"
„Schade!", sagt Mark, als er erfährt, dass Anna nicht zu seiner Party kommen kann.
„O nein", ärgert sich Chris, „muss das Fernsehgerät ausgerechnet beim Länderspiel seinen Geist aufgeben!"
Opa hat seinen Schlüssel in der Wohnung vergessen. Welch ein Glück, dass seine Nachbarin einen Ersatzschlüssel hat!
„Wo ist mein Blauschimmelkäse?", fragt Herr Schulze. „Oh!", entfährt es Frau Schulze, denn sie hat den Käse aus Versehen weggeworfen.
„Hurra, wir haben gewonnen!", schreit Sabine, nachdem sie die letzte Spielerin der gegnerischen Völkerballmannschaft abgeworfen hat.
Bernd entdeckt auf der anderen Straßenseite seinen Freund. „Hallo, Igor!", ruft er.

5. e):

Die drei Freunde schleichen sich vorsichtig an das Nest. „Pst!", macht der Älteste und tippt gleichzeitig mit dem Zeigefinger an seine Lippen.
„Hilfe", schallt es aus der Höhle, „wir sind vom Wasser überrascht worden!"
Als die Kinder am Strand eine Qualle liegen sahen, liefen sie zu ihren Eltern zurück und schrien laut: „Igitt!"

6. a):

laufen – rennen   (sich) ernähren – essen   sprechen – reden
geben – schenken   ziehen – reißen

6. b):

Die schwerhörige Uroma fordert ihre Enkelin auf: „*Sprich* bitte lauter, Susi*!*"
Der verärgerte Toni schnauzt seine Freunde an: „*Redet* nicht solch einen Quatsch*!*"
Die Mutter ermahnt ihr hungriges Söhnchen: „*Iss* nicht so hastig, mein Kleiner*!*"
Der Arzt rät dem molligen Patienten: „*Ernähren* Sie sich vernünftiger*!*"

Satzarten 9

6. c): Beispiele

Der Trainer des Leistungssportlers schreit seinem Schützling hinterher: „Lauf auf der Gegengeraden etwas schneller!" – Der Stadionsprecher bat wiederholt die Zuschauer: „Rennen Sie nicht nach Ablauf des Spiels auf den Rasen!" Die fürsorgliche Mutter ermahnte ihre Eltern: „Gebt meiner kleinen Kerstin vor dem Essen keine Süßigkeiten!" – Sara rät ihrem Freund: „Schenk deiner Mutter doch Strickwolle zum Geburtstag!"
Der Ausbilder der Fallschirmspringer appelliert ausdrücklich: „Ziehen Sie rechtzeitig die Reißleine!" – Mutti ermahnt das zweijährige Töchterchen: „Reiß nicht an der Tischdecke!"

G–S 11:	Märchen-Quiz

Die Märchentexte wurden nicht nach neuer Rechtschreibung korrigiert!

7. a-c): nach Märchen geordnet

Sätze aus „Aschenputtel":

A (1) Wenn du mir zwei Schüsseln voll Linsen in einer Stunde aus der Asche
K   rein lesen kannst, so sollst du mitgehen*.*

A (12) Bäumchen, rüttel' dich und schüttel' dich, wirf Gold und Silber über mich*!*
U   mich*!*

A (17) Habt ihr keine andere Tochter*?*
C

A (20) Wer Brot essen will, muß es verdienen: hinaus mit der Küchenmagd*!*
N

Sätze aus „Rapunzel":

R (2) Wie kannst du es wagen, in meinen Garten zu steigen und wie ein Dieb
I   mir meine Rapunzeln zu stehlen*?*

R (4) Rapunzel, Rapunzel, laß dein Haar herunter*!*
D

R (7) Der Königssohn geriet außer sich vor Schmerz, und in der Verzweiflung
U   sprang er den Turm herab*.*

R (13) Ach du gottloses Kind*!*
S

Satzarten

7. a-c): Fortsetzung

<u>Sätze aus „Der Wolf und die sieben jungen Geißlein":</u>

W (3) Was rumpelt und pumpelt in meinem Bauch herum?
N

W (5) Zeig' uns erst deine Pfote, damit wir wissen, daß du unser liebes
E   Mütterchen bist!

W (15) Da meckerte die Alte und machte sich getrost auf den Weg.
Ä

W (19) Ach, was mußte sie da erblicken!
E

<u>Sätze aus „Das tapfere Schneiderlein":</u>

S (6) Also war und blieb das Schneiderlein sein Lebtag ein König.
R

S (10) Junge, mach' mir den Wams und flick' mir die Hosen!
H

S (14) Gut Mus feil!
M

S (18) Meinst du, das wäre etwas für einen, der siebene mit einem Streich
H   getroffen hat?

<u>Sätze aus „Hänsel und Gretel":</u>

H (8) Da hatten alle Sorgen ein Ende, und sie lebten in lauter Freude
N   zusammen.

H (9) Wie können wir unsere armen Kinder ernähren, da wir für uns selbst
D   nichts mehr haben?

H (11) Hänsel, streck' deine Finger heraus, damit ich fühle, ob du bald fett
A   bist!

H (16) Heda, Gretel!
R

Lösung: Diese Märchen und viele andere, die durch die Brüder Grimm
         gesammelt wurden, nennt man <u>*KINDER- UND HAUSMÄRCHEN*</u>.

Satzarten

G–S 12: Zwei Tonarten

1. a-b):
1 *Die neuen Turnschuhe von NOKI sind ja toll!*
2 *Der Abfall müsste zur Mülltonne gebracht werden!*
3 *Warum müsst ihr denn immer so drängeln!*
4 *Dies ist die letzte Ermahnung!*
5 *Wenn ich morgen doch einmal ausschlafen könnte!*
6 *Sind wir beide nicht wie füreinander gemacht!*

Hier macht das Ausrufezeichen am besten die Absicht der Sprecher deutlich.

1. c): Alle Sätze sind auch von der Form her Aufforderungssätze (oder Ausrufe).
(<u>2</u>) Bring bitte mal den Abfall zur Mülltonne<u>!</u>
(<u>4</u>) Noch einmal und Sie bekommen Gelb<u>!</u>
(<u>5</u>) Lasst mich bitte morgen ausschlafen<u>!</u>
(<u>3</u>) Lasst jetzt endlich das Drängeln sein<u>!</u>
(<u>6</u>) Heirate mich<u>!</u>
(<u>1</u>) Kauf mir doch bitte die neuen Turnschuhe von NOKI<u>!</u>

1. d): Beispiele
1 *Wenn ich doch die neuen Turnschuhe von NOKI kriegen könnte!*
2 *Warum bringt denn mal keiner den Abfall zur Mülltonne!*
3 *Könnt ihr eigentlich nicht ohne zu drängeln einsteigen!*
4 *Beim nächsten Mal werden Sie verwarnt, junger Mann!*
5 *Morgen müsst ihr mich aber endlich mal ausschlafen lassen!*
6 *Wir beide sind doch ein Traumpaar!*

G–S 13: Sonja hat Kummer

2. a):

„Wie soll es schon gewesen sein!" = *„Frag mich jetzt nicht nach der Schule!"*
„Ich hab dein Essen warm gehalten." = *„Iss doch erst mal etwas!"*
„Ich hab jetzt keinen Hunger!" = *„Lass mich bloß mit Essen in Ruhe!"*
„Du könntest aber mir beim Essen Gesellschaft leisten." = *„Dann setz dich wenigstens zu mir in die Küche!"*
„Du tust mir weh, Mutti!" = *„Fass mich bitte nicht an, Mutti!"*
„Willst du mir nicht etwas erzählen?" = *„Nun sag mir doch, was dir auf dem Herzen liegt!"*
„Es gibt wirklich nichts zu erzählen!" = *„Bitte bedräng mich nicht weiter!"*
„Ich bin für die nächste Zeit in der Küche." = *„Hab Vertrauen, ich warte auf dich!"*
„Mutti!" = *„Tröste mich!"*
„Meine Kleine!" = *„Komm in meine Arme!"*
„Davon geht die Welt nicht unter, Sonja!" = *„Kopf hoch, Sonja!"*

2. b):

1. Frage: Antwortmöglichkeiten:
Die Mutter fragt so indirekt, um sich möglichst vorsichtig an das Kind heranzutasten, andernfalls erhält sie, da sie ihre Tochter gut kennt, überhaupt keine Auskunft. – Die Tochter antwortet so indirekt, weil sie nicht weiß, wie die Mutter beim sofortigen Geständnis reagieren würde.

2. Frage: Antwortmöglichkeiten:
Nein, es wäre nicht besser, wenn sie sich deutlicher ausdrücken würden, weil die Mutter die Tochter nicht bloßstellen sollte. Die Tochter weiß genau, welches Spiel sie spielen muss, um die Mutter milde zu stimmen.
Ja, in diesem Fall sollte sich Sonja von Anfang an deutlicher ausdrücken. Dann würde sie sofort erfahren, dass ihre Mutter sehr verständnisvoll reagiert.

Beispiele:
„Müssen wir unbedingt über Schule reden!" – *„Dein/unser Essen ist noch warm."* – *„Der Appetit ist mir vergangen."* – *„Aber wir essen doch täglich gemeinsam."* – *„Lass das Tatschen!"* – *„Sag schon, was los ist!"* – *„Ich will jetzt allein sein."* – *„Du weißt, wo du mich finden kannst."* – *„Hilf mir doch!"* *„Liebes!"* – *„Das ist doch nichts Schlimmes."*

Satzglieder I 13

| G–S 16: | Kleine Vogelkunde |

1. a):
Der Kolkrabe besitzt einen mächtigen Schnabel.
Der Eichelhäher gehört zur Familie der Rabenvögel.
Die Singdrossel erfreut uns mit ihrem abwechslungsreichen Gesang.
Die Küstenseeschwalbe fängt ihre Beutefische im Sturzflug.
Man erkennt den Stieglitz an seiner roten Gesichtsmaske.
Der Uhu verdankt seinen Namen dem Balzruf des Männchens.
Blaumeisen besuchen im Winter häufig die Futterhäuschen.
Der Habicht baut seinen Horst am liebsten auf hohen Waldbäumen.

Lösung: Du bist ja schon ein richtiger *VOGELKUNDLER*.

1. b-c):
Der Kolkrabe   besitzt   einen mächtigen Schnabel .
Einen mächtigen Schnabel   besitzt   der Kolkrabe .

Im zweiten Satz steht das Prädikat ebenfalls an zweiter Stelle.

1. d-e):
Man   erkennt   den Stieglitz   an seiner roten Gesichtsmaske .
Den Stieglitz   erkennt   man   an seiner roten Gesichtsmaske .
An seiner roten Gesichtsmaske   erkennt   man   den   Stieglitz .
Erkennt   man   den Stieglitz   an seiner roten Gesichtsmaske ?

1. f): _____ = Beispiel für Betonung eines Satzglieds
Einen mächtigen Schnabel besitzt der Kolkrabe.
Der Kolkrabe besitzt einen mächtigen Schnabel.
Besitzt der Kolkrabe einen mächtigen Schnabel?

Zur Familie der Rabenvögel gehört der Eichelhäher.
Der Eichelhäher gehört zur Familie der Rabenvögel.
Gehört der Eichelhäher zur Familie der Rabenvögel?

Mit ihrem abwechslungsreichen Gesang erfreut uns die Singdrossel.
Die Singdrossel erfreut uns mit ihrem abwechslungsreichen Gesang.
Uns erfreut die Singdrossel mit ihrem abwechslungsreichen Gesang.
Erfreut uns die Singdrossel mit ihrem abwechslungsreichen Gesang?

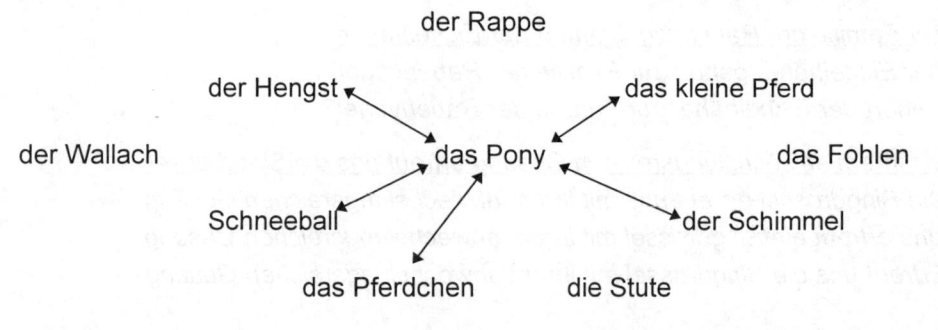

Satzglieder I

1. f): Fortsetzung

Im Sturzflug fängt die Küstenseeschwalbe ihre Beutefische.
Die Küstenseeschwalbe fängt ihre Beutefische im Sturzflug.
Ihre Beutefische fängt die Küstenseeschwalbe im Sturzflug.
Fängt die Küstenseeschwalbe ihre Beutefische im Sturzflug?

An seiner roten Gesichtsmaske erkennt man den Stieglitz.
Man erkennt den Stieglitz an seiner roten Gesichtsmaske.
Den Stieglitz erkennt man an seiner roten Gesichtsmaske.
Erkennt man den Stieglitz an seiner roten Gesichtsmaske?

Dem Balzruf des Männchens verdankt der Uhu seinen Namen.
Der Uhu verdankt seinen Namen dem Balzruf des Männchens.
Seinen Namen verdankt der Uhu dem Balzruf des Männchens.
Verdankt der Uhu seinen Namen dem Balzruf des Männchens?

Im Winter besuchen die Blaumeisen häufig die Futterhäuschen.
Die Blaumeisen besuchen im Winter häufig die Futterhäuschen.
Die Futterhäuschen besuchen die Blaumeisen im Winter häufig.
Häufig besuchen die Blaumeisen im Winter die Futterhäuschen.
Besuchen die Blaumeisen im Winter häufig die Futterhäuschen?

Seinen Horst baut der Habicht am liebsten auf hohen Waldbäumen.
Der Habicht baut seinen Horst am liebsten auf hohen Waldbäumen.
Auf hohen Waldbäumen baut der Habicht am liebsten seinen Horst.
Am liebsten baut der Habicht seinen Horst auf hohen Waldbäumen.
Baut der Habicht seinen Horst am liebsten auf hohen Waldbäumen?

G–S 17:	Auf dem Ponyhof

2. a):

der Rappe

der Hengst → das Pony ← das kleine Pferd

der Wallach   das Pony   das Fohlen

Schneeball → das Pony ← der Schimmel

das Pferdchen   die Stute

Satzglieder I

2. b):
Wen oder was habe ich ganz für mich allein? Ein Pony.
Wer oder was ist weiß? Das Pony.
Für wen oder was ist das ein komischer Name? Für ein Pony.
Wer oder was ist ein kleiner Hengst? Das Pony.
Wer oder was ist sehr lieb? Das Pony.
Wessen Stall miste ich jeden Tag aus? Den Stall des Ponys.
Wer oder was freut sich darauf? Das Pony.
Wem (oder was) gebe ich auch eine Mohrrübe extra? Dem Pony.
Auf wem (oder was) reite ich dann eine Runde? Auf dem Pony.
Wen oder was reibe ich ... trocken, bevor ich selbst frühstücke? Das Pony.
Ohne wen oder was kann ich mir den Tag gar nicht mehr vorstellen? Ohne das Pony.
Wen oder was fotografiere ich morgen? Das Pony.
Wessen Foto schicke ich im nächsten Brief mit? Ein Foto des Ponys.

2. c): in Klammern: mögliche Ersatzbegriffe oder Pronomen
... ich habe ein Pony ganz für mich allein! Das Pony (*Es*) ist weiß und heißt „Schneeball". Ist das nicht ein komischer Name für ein Pony? Das Pony (*Schneeball*) ist übrigens ein kleiner Hengst. Natürlich ist das Pony (*das Pferdchen*) sehr lieb (!). Jeden Tag gleich nach dem Aufstehen miste ich den Stall des Ponys (*seinen Stall*) aus. Darauf freut sich das Pony (*der kleine Schimmel*). Ich gebe dem Pony (*Schneeball*) auch eine Mohrrübe extra. Dann reite ich auf dem Pony eine Runde (*auf ihm*). Bevor ich selbst frühstücke, reibe ich das Pony (*Schneeball*) sorgfältig trocken. Ohne das Pony (*Ohne den kleinen Hengst*) kann ich mir den Tag gar nicht mehr vorstellen. Morgen fotografiere ich das Pony (*ihn*)! Im nächsten Brief schicke ich ein Foto des Ponys (*von Schneeball*) mit. ...

3. a): in Klammern: mögliche Pronomen
... hier siehst du nun mein Pony! Findest du das Pony (*es*) auch so süß? Für das Foto habe ich dem Pony (*ihm*) extra die Mähne gestriegelt. Das Pony (*Es*) hat auch eine Mohrrübe bekommen. Deshalb schaut das Pony (*es*) so zufrieden. Am süßesten sieht das Pony aus, wenn ich dem Pony (*ihm*) die Ohren kraule. Aber ich kann das Pony nicht streicheln und das Pony (*es*) gleichzeitig fotografieren ...

3. b): siehe **2. c)**

G–S 18: Kurz oder lang

4. a-c):
Mein Mann isst ~~zum Frühstück~~
~~aus Gesundheitsgründen~~ gern Mehrkornbrötchen.

4. d-e):
Ich kaufe ~~jetzt~~ ~~in dieser Tierhandlung~~
~~meinem Dackel~~ ein neues Halsband ~~zum Geburtstag~~.

Wichtig ist vielleicht noch: meinem Dackel.

4. f): *Anna lässt ihre Haare wachsen.*

5. a): *„Ich kaufe <u>meiner Mutter</u> <u>zum Geburtstag</u> einen Lippenstift."*

5. b): *„Ich gehe <u>jetzt</u> <u>mit Markus und Stefan</u> <u>ins Kino</u>!"*

G–S 19: Uromas Sprüche

1. a-b): Subjekte erfragt man mit: Wer oder was?
in Leserichtung:
<u>Ich</u> verstehe die Welt nicht mehr.
<u>Kleider</u> machen Leute.
<u>Der Appetit</u> kommt beim Essen.
<u>Eine Schwalbe</u> macht noch keinen Sommer.
<u>Eine Hand</u> wäscht die andere.
Im Leben geht <u>alles</u> vorüber.
Den Seinen gibts <u>der Herr</u> im Schlaf.
<u>Geschehenes</u> lässt sich nicht ungeschehen machen.
<u>Niemand</u> kann zwei Herren dienen.
<u>Man</u> gönnt sich ja sonst nichts.
<u>Steter Tropfen</u> höhlt den Stein.
<u>Du</u> musst dein Leben ändern.
<u>Ein jeder</u> kehre vor seiner Tür.
<u>Die Axt im Haus</u> erspart den Zimmermann.
<u>Die Welt</u> will betrogen sein.

Satzglieder I   **17**

1. c):
Weitere Wortarten sind: bestimmte Pronomen (ich ...), unbestimmte Pronomen (alles ...), substantiviertes Partizip (Geschehenes)

2.):
Mein Ältester ... er ... Seine Frau ... sie ... Sie ... Die Kinder ... Jan und Pia ... die Kleine ... Meine Mittlere ... ich ... meine Jüngste ... das Träumen ... ich ... Mein Mann und sie ... Schweigen ...

Subjekte stehen immer im Nominativ.

G–S 20:	Alles dreht sich um ...

1. a):

```
                              s o o o g o
b o o o k r i t z e l n o o c o o o e o
e o o o a o o o o o o o o h o o o f o
g o o o u o o o w o o o o o w o o o a o
r o o o f o o o a o o o o o i o o o l o
e n t d e c k e n o o o o o m o o o l o
i o o o n o o o d o o s c h m e c k e n
f o o o o o o o e o o o o o e o o o n o
e o o o o o v e r b i n d e n o o o o o
n o o o o o o o n o o o o o o o o o o o
```

1. b-d): Bei den Verben muss man auf die richtige Personalform achten.
... „Ferat, du *schwimmst* als Letzter."
Die neue Schnellstraße *verbindet* die beiden größten Städte des Landes.
... „Die letzten Matheaufgaben *begreifen* wir nicht."
... „In der Boutique 'Venetia' *kaufe* ich mir morgen Jeans."
... „Ihr *wandert* nur auf Wegen mit dem blauen Dreieck."
... „Sie *entdecken* aber auch alles, Frau Sprachlos."
Gelangweilt *kritzeln* die Studenten irgendwelche Zeichen auf ihre Blätter.
Unserer neunundfünfzigjährigen Oma *gefällt* der Vorruhestand überhaupt nicht.
Herrn Bauer *schmeckt* ein selbst gemachtes Müsli immer noch am besten.

Lösung: Alles dreht sich um *das Prädikat*, oder?

Satzglieder I

2.):

Bei den ... Spielen ~~schubst~~ _stößt_ der Zehnkämpfer die Kugel auf Rekordweite.

„Ihr ~~schlagt~~ _schiebt_ den Wagen doch nicht etwa bis zur Werkstatt?", ...

... „Mit der Hand ~~stoße~~ _drücke_ ich eine rohe Kartoffel zu Brei."

Heute ~~drücken~~ _boxen_ die Weltmeister der beiden Vereinigungen um den Titel ...

... „Auf 50 Meter Kraul ~~boxt~~ _schlägst_ du Sabine um eine Länge."

„Die Jungen ~~schieben~~ _schubsen_ immer", beschwert sich Tanja bei der Lehrerin.

G–S 21:	Die Saison beginnt

3. a-b): _____ = Subjekt

„Gestern bin ich mit meinen Eltern zur Saisoneröffnung des FC gefahren", ...

„Was haben die denn da veranstaltet?", ...

„Zuerst hat uns der Stadionsprecher die Spieler vorgestellt."

„Sind denn alle da gewesen?", ... „Der Ranolda hat gestern natürlich gefehlt.

Der hat ja bei der Weltmeisterschaft mitgespielt.

Der kommt erst in zwei Wochen zurück."

„Haben die auch ein Spiel gezeigt?", ... „Das hat mir sogar gefallen."

... „Der Gegner ist allerdings nur ein Kreisligist gewesen." ...

„An euch habe ich auch gedacht." ...

„Du hast mir ein Autogramm von Schulli mitgebracht!", ...

„Die bewahre ich sorgfältig auf", ...

„Bist du extra meinetwegen zu dem Bauer gegangen?" ...

„Ich habe ihn zweimal ganz nah gesehen.

Das erste Mal ist er direkt an mir vorbeigegangen und dann

hat er ja mit ein paar anderen ... in einem Zelt Autogramme gegeben." ...

Den Schulli gucke ich mir irgendwann mal beim Training an."

„Ihr habt etwas verloren", ..., die sind mir wohl ... aus der Tasche gefallen!", ...

Der erste Teil des Prädikats richtet sich immer nach dem Subjekt.

Satzglieder I 19

3. c):
Sandra hat an einem Ferientag das Training ihrer Lieblingsmannschaft besucht.
Tonio hat seine Freundin Sandra zum Fußballtraining begleitet.
Sandra und Tonio haben ihrem Freund Mark ein neues Mannschaftsposter mitgebracht.

Sandra wird an einem Ferientag das Training ihrer Lieblingsmannschaft besuchen.
Tonio wird seine Freundin Sandra zum Fußballtraining begleiten.
Sandra und Tonio werden ihrem Freund Mark ein neues Mannschaftsposter mitbringen.

4. a-b):
Sandra <u>will</u> Schulli unbedingt beim Training beobachten.
„Du <u>darfst</u> mit Tonio hinfahren, aber du <u>musst</u> um sechs Uhr wieder zu Hause sein."
„Wir <u>können</u> ja vor dem Kabinenausgang auf die Spieler warten."
„Dann <u>lasse</u> ich mir von Schulli ein Autogramm auf mein T-Shirt schreiben."

Satzglieder II

G–S 24: Mindestens eins fehlt!

1. a):
Es fehlen notwendige Ergänzungen. Man erfragt sie mit „wen oder was" oder „wem".

1. b): _____ = Akkusativobjekte   _____ = Dativobjekte

Wir nehmen *den Kinderteller „Pinocchio"*.
Ich wünsche *mir* *einen neuen Luftballon*.
Vati trägt *die Verantwortung*.
Ich besitze *keinen Pfennig*.
Ich verstoße *die letzten drei*.
Ich sehe *eine große, kräftige Frau*.
Meine Frau möchte *das unterste Kleid* anprobieren.
Felix hat *seiner Freundin* *einen Ring* geschenkt.
Der Verstorbene hat *den Hinterbliebenen* *seine Schulden* vererbt.

2. a):

Sina macht (A)   Melanie führt aus (A)   Der neue Brunnen gefällt (D)
Metin besucht (A) – Jenny schenkt (AD)   Tante Ira jätet (A)
Das Mountainbike gehört (D)   Vater überlässt (AD)

2. b): Beispiele: _____ = Akkusativobjekte   _____ = Dativobjekte

Sina macht *ihre Hausaufgaben*. – Melanie führt *den Hund der Nachbarn* aus. –
Der neue Brunnen gefällt *den Anwohnern*. – Jenny schenkt *ihrer Freundin*
eine CD. – Tante Ira jätet *Unkraut*. – Das Mountainbike gehört *meinem Bruder*.
– Vater überlässt *seinem Sohn* *das alte Auto*.

G–S 25: Verbenrätsel

1. a):

schaden	beschützen	holen
ähneln	tragen	erzählen
verzeihen	kochen	borgen
drohen	befürchten	wegnehmen
raten	mögen	antworten

Satzglieder II 21

1. b-c): _____ = Akkusativobjekte   _____ = Dativobjekte

Die Pudelwelpen *ähneln* *ihrer Mutter* bis auf die Locke.
Der Autoverkäufer *rät* *dem Kunden* zum Kauf des teuren Modells.
Den Fingerhut *trägt* man natürlich nicht auf dem Kopf.
Bei Gewittern *befürchtet* Oma *das Schlimmste*.
„Ich *mag* *dich* sehr", gesteht der verliebte Hannes der blonden Annegret.
Geld *borgt* Paul nur *seinen besten Freunden*.
„*Antworte* *mir* bitte bald!", schreibt Jenny an ihre Brieffreundin.

1. d): Beispiele: _____ = Akkusativobjekte   _____ = Dativobjekte

Der Regen schadet bestimmt *meinen neuen Lederschuhen*.
Verzeihst du *mir*?
Die Räuber drohen *den Bankangestellten*.
Unsere Schäferhündin beschützt *ein mutterloses Kätzchen*.
Ich koche am liebsten *Suppe*.
Holst du bitte *Sara*?
Uropa kann *den Enkeln* *die schönsten Geschichten* erzählen.
Ich nehme *dir* schon *nichts* weg!

1. e): Beispiele mit folgendem **Dativobjekt**

Die neuen Schuhe gefallen *dem Geburtstagskind* sehr.
Die Briefmarken gehören *meinem Großvater*.
Die chinesischen Rezepte gelingen *mir* nur hin und wieder.

2. a):

Ein Rehkitz hat seine Mutter (= Akkusativobjekt) verloren.
Ein Spaziergänger begegnet dem Rehkitz (= Dativobjekt).
Der Förster nimmt sich des Rehkitzes (= Genitivobjekt) an.

Die Kranken bedürfen der Behandlung und Hilfe (= Genitivobjekt).
Der Arzt behandelt die Kranken (= Akkusativobjekt).
Die Schwester hilft den Kranken (= Dativobjekt).

2. b):

seine Mutter verlieren – dem Rehkitz begegnen – sich des Rehkitzes annehmen
der Behandlung und Hilfe bedürfen – die Kranken behandeln – den Kranken helfen

G–S 26: Hagen von Tronje

3. a):

In Tronje, hoch im Norden, war ich zu Hause, doch ich hatte *meine kalte Heimat* verlassen, um meinem Freund und König, Gunther von Burgund, in Treue zu dienen. Die Menschen sagten, dass ich wie kein anderer *das Schwert* zu führen wisse. Ich hatte den Ruf eines gefürchteten Kriegers und das war mir recht so. Ich war ein schweigsamer Mensch und ich pflegte *einem Fremden* mit Misstrauen zu begegnen. Ich lachte selten, Fröhlichkeit war nicht meine Sache. Ich bevorzugte schwarze Kleidung. Später trug ich zudem noch eine Augenklappe, denn ein Auge hatte ich auf dem Schlachtfeld verloren. Zum Lächeln brachte mich nur Kriemhild, die blutjunge Schwester des Königs. Bei ihr hellte sich meine düstere Miene auf. *Ihrer kindlichen Zuneigung* erfreute ich mich gern.
Es war an einem nasskalten Herbsttag. Da sah ich *den Vorboten des Unheils*. Eine schwarze Krähe flog krächzend um die nebelverhangenen Burgtürme zu Worms. Sie trotzte *den Pfeilen meines besten Bogenschützen*. Und dann kam er: Siegfried von Xanten. Sein Ruf als Drachentöter war ihm vorausgeeilt. Man sagte, er sei unverwundbar. Er suchte jeden Kampf und rühmte sich *seiner Heldentaten*. Und nun wollte er *seine Kräfte* messen mit dem Herrn von Worms. Ehrfürchtig betrachteten ihn jene, die zusammengelaufen waren. Er war von hoher, kräftiger Gestalt und unter seinen blonden Haaren blitzten übermütig die blauen Augen. Den Kampf konnten wir abwenden, aber Siegfried blieb. Als Kriemhild *dem strahlenden Hünen* begegnete, war es um sie geschehen. Auch er erlag *ihrem Liebreiz*. Fortan kämpfte er Seite an Seite mit uns und errang ruhmreiche Siege für Burgund. Die Menschen bewunderten *ihn*. Verborgen unter seiner Tarnkappe besiegte er sogar in Gunthers Namen *die Walkürenkönigin Brunhild*, auf dass Gunther sie zur Frau nehmen konnte. Mein König tat es, aber sein Herz wurde immer schwerer. Das Volk wandte sich von ihm ab und *dem heimlichen Herrscher* zu. Es musste etwas geschehen! Ich fasste *einen Entschluss*. Kriemhild vertraute *mir*. So kannte ich die einzige verwundbare Stelle an Siegfrieds Leib. Und er, der strahlendste Held, der jemals auf Erden gelebt hatte, starb, rücklings durchbohrt von einem Schwert. Selbst ich, ein alter Krieger, schämte mich in diesem Augenblick *meiner Tränen* nicht.

3. b): Beispielformulierungen

Ich freute mich über ihre kindliche Zuneigung.
Er suchte jeden Kampf und prahlte mit seinen Heldentaten.
Selbst ich, ein alter Krieger, schämte mich in diesem Augenblick nicht für meine Tränen.

Satzglieder II

G–S 27: Was zusammengehört

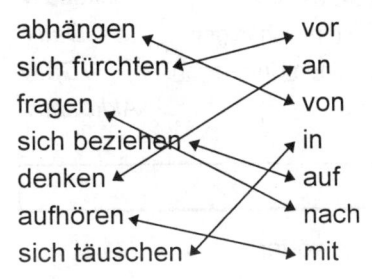

4. a):

abhängen	vor	abhängen von
sich fürchten	an	sich fürchten vor
fragen	von	fragen nach
sich beziehen	in	sich beziehen auf
denken	auf	denken an
aufhören	nach	aufhören mit
sich täuschen	mit	sich täuschen in

4. b-c):

Der Tourist kennt sich nicht aus. Er **fragt** einen Spaziergänger **nach** dem Weg.
Sara hat Ballettunterricht. Jetzt ist ihre Hüfte krank. Sara muss wohl **mit** dem Tanzen **aufhören**.
Davids Freundin Stefanie ist in einen anderen Ort gezogen. David **denkt** sehr oft **an** sie.
Tanjas Versetzung **hängt** ausschließlich **von** ihrer Mathenote **ab**.
Oma mag keine Krabbeltiere. **Vor** Spinnen **fürchtet** sie **sich** besonders.
Frau Müller bewirbt sich als Möbelverkäuferin. Sie **bezieht sich auf** ein Stellenangebot.
Herr Karl betrachtet den neuen Anzug bei Licht. O je, da hat er **sich** schwer **in** der Farbe **getäuscht**!

4. d):

Nach wem oder was/wonach fragt der Tourist einen Spaziergänger? _Nach_ dem Weg.
Mit wem oder was/womit muss Sara wohl aufhören? _Mit_ dem Tanzen.
_An_ wen oder was/woran denkt David sehr oft? _An_ sie (= Stefanie).
Von wem oder was/wovon hängt Tanjas Versetzung ausschließlich ab? _Von_ ihrer Mathenote.
Vor wem oder was/wovor fürchtet sich Oma besonders? _Vor_ Spinnen.
Auf wen oder was/worauf bezieht sich Frau Müller? _Auf_ ein Stellenangebot.
_In_ wem oder was/worin hat er sich schwer getäuscht? _In_ der Farbe.

Satzglieder II

5.):

Die Polizei warnt ~~nach~~ *vor* einem gerissenen Handtaschendieb.   *Dativ*
Die kesse Tanja passt gar nicht gern ~~für~~ *auf* ihren kleinen Bruder auf.   *Akkusativ*
Herr Hansen kann sich stundenlang ~~vor~~ *mit* Buddelschiffen beschäftigen.   *Dativ*
Der vergessliche Professor forscht vergeblich ~~mit~~ *nach* seinen Unterlagen.   *Dativ*
Die Sportlehrerin sorgt mit ihrer Trillerpfeife ~~auf~~ *für* Ruhe.   *Akkusativ*

G–S 28:   Fragen und Antworten

---

6. a): Man findet die Präpositionen als Teil der Fragewörter.

Wovor laufen Sie denn weg? *Vor einem bissigen Hund.*
Worüber staunst du denn so? *Über Iras tolle Mathenote.*
Wovon ernährt sich denn so ein Leguan? *Von Insekten und Pflanzen.*
Woran denkst du gerade? *Immer nur an dich.*
Woraus besteht Wasser? *Aus Wasserstoff und Sauerstoff.*
Worüber hast du dich denn geärgert? *Über meinen ungerechten Chef.*

6. b-c):

Vor wem oder was laufen Sie denn weg? Ich laufe vor einem bissigen Hund weg.
Über wen oder was staunst du denn so? Ich staune über Iras tolle Mathenote.
Von wem oder was ernährt sich denn so ein Leguan? Ein Leguan ernährt sich von Insekten und Pflanzen.
An wen oder was denkst du gerade? Ich denke immer nur an dich.
Aus wem oder was besteht Wasser? Wasser besteht aus Wasserstoff und Sauerstoff.
Über wen oder was hast du dich denn geärgert? Ich habe mich über meinen ungerechten Chef geärgert.

7. a-c):

(Zu wem oder was) Wozu gratulieren die Gäste dem Brautpaar?
Sie gratulieren zur Hochzeit.
An wen (oder was) glaubten viele nordamerikanische Indianerstämme?
Sie glaubten an Manitu.
(Vor wem oder was) Wovor flieht die junge Antilope in wilder Panik?
Sie flieht vor jagenden Löwinnen.

Satzglieder II

7. a-c): Fortsetzung

(Für wen oder was) <u>Wofür</u> *hat sich die 90-jährige Jubilarin bedankt?*
Sie hat sich <u>für die vielen Glückwünsche</u> bedankt.
<u>Auf wen</u> *(oder was) kann sich Daniela immer verlassen?*
Sie kann sich immer <u>auf ihre beste Freundin</u> verlassen.
<u>Mit wem</u> *(oder was) streitet sich Herr Müller am liebsten?*
Er streitet sich am liebsten <u>mit seiner Frau</u>.

G–S 29:	Satzgitter

8. a-b): von oben nach unten:

Jeder Mensch hat <u>Grundbedürfnisse</u>. (Akkusativobjekt)
Maria freut sich a u f <u>die Sommerferien</u>. (Akkusativ)
Opa ist schon lange tot, aber Oma erzählt noch oft v o n <u>ihm</u>. (Dativ)
Bea kauft <u>sich</u> <u>einen heißen Mini</u>. (<u>Dativobjekt</u>, <u>Akkusativobjekt</u>)
Die neue Partei kämpft f ü r <u>eine bessere Umwelt</u>. (Akkusativ)
Andreas gibt m i t <u>seinen teuren Jeans</u> an. (Dativ)
Das Fohlen folgt brav <u>seiner Mutter</u>. (Dativobjekt)
Uropas Freundin traut <u>niemandem</u>. (Dativobjekt)
Der Arzt sorgt sich u m <u>seinen Patienten</u>. (Akkusativ)
Die Touristin hat <u>ihr ganzes Urlaubsgeld</u> verloren. (Akkusativobjekt)
Eva zeigt <u>ihren Rucksack</u> <u>allen Freunden</u>. (<u>Akkusativobjekt</u>, <u>Dativobjekt</u>)
Fünf Parlamentsabgeordnete enthielten sich *der Stimme*. (*Genitivobjekt*)
Tanja bedankt sich f ü r <u>kluge Ratschläge</u>. (Akkusativ)
Das Schnarchen ... raubt <u>Frau König</u> <u>den Schlaf</u>. (<u>Dativobjekt</u>, <u>Akkusativobjekt</u>)
Angeblich schützt diese Creme v o r <u>Falten</u>. (Dativ)
Spiel <u>mir</u> bitte noch einmal <u>dieses Lied</u> vor! (<u>Dativobjekt</u>, <u>Akkusativobjekt</u>)
von links nach rechts:
Der Richter glaubt <u>dem Angeklagten</u>. (Dativobjekt)
<u>Mir</u> hilft keiner! (Dativobjekt)
Jost putzt <u>sein Fahrrad</u>. (Akkusativobjekt)
Demian kennt <u>keine Angst</u>. (Akkusativobjekt)
Li erklärt <u>ihrer Oma</u> <u>ein neues Spiel</u>. (<u>Dativobjekt</u>, <u>Akkusativobjekt</u>)
Weißbrot schmeckt <u>Britta</u> nicht. (Dativobjekt)
Leo hofft a u f <u>gutes Wetter</u>. (Akkusativobjekt)
Der Schimpanse bediente sich *eines Esslöffels*. (*Genitivobjekt*)

Satzglieder II

G–S 30: Sag es genauer!

1. a): _____ = genaueste Angabe

Kai und Sidal besuchen — <u>am Montagnachmittag</u> — eine Zirkusvorstellung.
Peter erzählt: „Wir fahren in den Ferien — — <u>nach Kreta</u>."
Opa stellt schaudernd fest: „Heute regnet es — <u>wolkenbruchartig</u> — ."
Das neue Kino-Center entsteht — — <u>an der Ecke Lessingstraße/Goethestraße</u>.
Der Zahnarzt verspricht Jasmin: „Ich bohre <u>drei Minuten</u> — —."
Jens hat sein Wissen über Vögel — — <u>aus einem Vogelkundebuch</u>.
Andrea hat — <u>montags und donnerstags</u> — Volleyballtraining.
— <u>Mit einem Zehntel Vorsprung</u> — hat Jana mit ihrem Pony den Lauf gewonnen.
Max hört ein seltsames Geräusch, es kommt <u>aus dem Garten</u> — —.
— <u>Am 1. August</u> — wird Tims Schwester ein Praktikum beginnen.
Herr Jammer sagt: „Frau Doktor, <u>unter dem Ellenbogen</u> — — tut es weh."
Unsere Mannschaft kämpfte — — <u>mit den letzten Reserven</u> um den Sieg.
Tobias verkündet: „Irgendwann ziehe ich — <u>nach Texas</u> —."
Kerstin kennt ihre beste Freundin — — <u>acht Jahre</u>.
Tante Edda aus Aurich trinkt ihren Tee <u>mit viel Kandiszucker</u> — —.
Mara fragt Nadine: „Leihst du mir die CD — — <u>bis Sonntag</u>?"
Unsere Nachbarn gehen — <u>jeden Samstagabend</u> — in die Kirche.

1. b):

<u>Wann</u> besuchen Kai und Sidal eine Zirkusvorstellung?
<u>Wohin</u> fährt Peter in den Ferien? – <u>Wie</u> regnet es heute?
<u>Wo</u> entsteht das neue Kino-Center? – <u>Wie lange</u> bohrt der Zahnarzt?
<u>Woher</u> hat Jens sein Wissen über Vögel?
<u>Wann/Wie oft</u> hat Andrea Volleyballtraining?
<u>Wie</u> hat Jana mit ihrem Pony den Lauf gewonnen?
<u>Woher</u> kommt das seltsame Geräusch?
<u>Wann</u> wird Tims Schwester ein Praktikum beginnen?
<u>Wo</u> tut es Herrn Jammer weh?
<u>Wie</u> kämpfte unsere Mannschaft um den Sieg?
<u>Wohin</u> zieht Tobias irgendwann?
<u>Seit wann/Wie lange</u> kennt Kerstin ihre beste Freundin?
<u>Wie</u> trinkt Tante Edda aus Aurich ihren Tee?
<u>Wie lange/Bis wann</u> leihst du mir die CD?
<u>Wann/Wie oft</u> gehen unsere Nachbarn in die Kirche?

Satzglieder II

2. a):

Mark kann _wegen einer Muskelzerrung_ nicht am Fußballtraining teilnehmen.
Sinas große Schwester hat _aus Eifersucht_ das Foto ihres Freundes zerrisssen.
O je, unser Dackel hat _vor lauter Freude_ ein Bächlein in den Flur gemacht!
Zum 70. Geburtstag schenkt Miriam ihrer Oma einen selbst gestrickten Schal.

2. b):

Adverbialien

der Zeit	des Ortes	der Art und Weise	des Grundes
am Montagnachmittag	nach Kreta	wolkenbruchartig	wegen einer Muskelzerrung
drei Minuten	an der Ecke Lessingstr./Goethestr.	mit einem Zehntel Vorsprung	aus Eifersucht
montags und donnerstags	aus einem Vogelkundebuch	mit den letzten Reserven	vor lauter Freude
am 1. August	aus dem Garten	mit viel Kandiszucker	zum 70. Geburtstag
acht Jahre	unter dem Ellenbogen		
bis Sonntag	nach Texas		
jeden Samstagabend			

G–S 31: Ist der Neue ein Angeber?

3. a-b):

im Uhrzeigersinn:
_Wo_ wohnt ihr denn überhaupt? – Wir wohnen _auf dem Prominentenhügel_. (Adverbiale des Ortes)
Woher hast du das tolle Fahrrad? – Das habe ich _aus einem Spezialgeschäft für Profifahrer_. (– des Ortes)
Wie oft trainierst du in deinem Badmintonclub? – Ich trainiere _jeden Tag_. (– der Zeit)
Seit wann spielst du denn schon Badminton? – Ich spiele _seit dem ersten Schuljahr_ Badminton. (– der Zeit)
Wohin gehst du heute Abend? – Heute Abend gehe ich natürlich _in das neue Kino-Center_. (– des Ortes)
Wann machst du denn so deine Hausaufgaben? – Meine Aufgaben mache ich _nachts_. (– der Zeit)

3. a-b): Fortsetzung

Wozu trainierst du so hart? – Ich trainiere nicht hart, sondern *aus reinem Vergnügen*. (– des Grundes)
Wie kriegst du denn Schule und Sport auf die Reihe? – Ich kriege alles *ohne Probleme* auf die Reihe. (– der Art und Weise)
Wie lange brauchst du für deine Hausaufgaben? – *Keine zehn Minuten* brauche ich dafür. (– der Zeit)
Warum bist du nicht auf das Schillergymnasium gegangen, sondern zu uns gekommen? – Zu euch bin ich *wegen der besonders hohen Anforderungen* gekommen. (– des Grundes)

G–S 32:	Maikes Ferienfotos

4. a):
Mama steht <u>am Strand</u> und schaut <u>in die Ferne</u>.
<u>Wo wir unsere Zimmer hatten,</u> habe ich die Punkte gemalt. – <u>Wenn man die Fenster öffnen wollte,</u> musste man die Klimaanlage abschalten.
Auf diesem Foto kannst du den ganzen Berg <u>gut</u> sehen und es zeigt <u>deutlich</u> den Eingang der Tropfsteinhöhle.
<u>Hier</u> hat Thomas getaucht und <u>jetzt</u> siehst du das Ergebnis.
<u>Als wir das Bergdorf erreichten,</u> hatte ich einen Riesendurst. – Ich musste Quellwasser trinken<u>, weil es nichts anderes gab</u>.
Über diesen Schnappschuss hat Mama <u>laut</u> gelacht: Papa bekämpft <u>heldenhaft</u> einen Moskito ...
Das ist ein 4000 Jahre alter Wachturm und <u>daneben</u> steht eine Reiseleiterin. – Die hat <u>gern</u> Witze erzählt.
<u>Wegen meines verstauchten Fußes</u> mussten wir die alte Ausgrabungsstätte <u>im Schneckentempo</u> besichtigen.
Papa hat „Wiederbelebungsversuche" gemacht<u>, nachdem Mama Wasser geschluckt hatte</u>. – Thomas guckt zu<u>, während ich das Ganze fotografiere</u>.
In diesem Café wurden die Eisbecher <u>kunterbunt</u> verziert und sie schmeckten <u>köstlich</u>!
<u>Leider</u> hat dieses Foto einen schwarzen Schatten. – Ich habe <u>dämlicherweise</u> die Sonnenblende verbeult.
Das ist Jens <u>aus Köln</u>, er kommt uns <u>in den Herbstferien</u> besuchen ...

Satzglieder II

4. b):

Adjektive	Adverbien	Präpositionalausdrücke	Gliedsätze
gut	hier	am Strand	Wo wir unsere Zimmer hatten, ...
deutlich	jetzt	in die Ferne	Wenn man die Fenster öffnen wollte, ...
laut	daneben	(Auf diesem Foto)	
heldenhaft	gern	wegen meines verstauchten Fußes	Als wir das Bergdorf erreichten, ...
kunterbunt	leider		..., weil es nichts anderes gab.
köstlich	dämlicherweise	im Schneckentempo	..., nachdem Mama Wasser geschluckt hatte.
		(In diesem Café)	
		aus Köln	..., während ich das Ganze fotografiere.
		in den Herbstferien	

4. c):

Adverbialien des Ortes: *am Strand, in die Ferne, wo wir unsere Zimmer hatten, ...; hier, daneben, aus Köln*

Adverbialien der Zeit: *wenn man die Fenster öffnen wollte, ...; jetzt; als wir das Bergdorf erreichten, ...; ... nachdem Mama Wasser geschluckt hatte; ... während ich das Ganze fotografiere; in den Herbstferien*

Adverbialien der Art und Weise: *gut, deutlich, laut, heldenhaft, gern, im Schneckentempo, kunterbunt, köstlich, leider, dämlicherweise*

Adverbialien des Grundes: *..., weil es nichts anderes gab; wegen meines verstauchten Fußes*

G–S 33: Der Zeuge

5. a):

Wann kam der Mann in das Lokal? – Woher kam der Mann?
Wie/Womit bedrohte er den Wirt?
Warum konnte man ihn kaum verstehen?
Wie schlug er den Wirt? – Wohin schlug er den Wirt? – Wozu schlug er den Wirt?
Wohin schoss er? – Wie oft genau schoss er?
Warum zuckte er plötzlich zusammen?
Wohin floh er?
Von wo aus/Woher sahen Sie ihm erleichtert nach?
Wie/Womit fuhr er davon? – Wohin fuhr er?
Warum war sein Fahrzeug sehr auffallend?
Wo hatte er eine große Narbe?
Wie waren seine Haare noch?
Wo hatte er eine Tageszeitung?
Wo glauben Sie, ihn schon einmal gesehen zu haben?

5. b): Beispiel für eine „Zeugenaussage"

<u>Um 20.00 Uhr</u> betrat ein maskierter Mann <u>von der Gartenterasse aus</u> das Lokal. Er bedrohte den Wirt <u>mit einer Pistole</u>. <u>Aufgrund der Strumpfmaske</u> konnte man ihn kaum verstehen, aber <u>auf seinem linken Handrücken</u> war eine große Narbe zu erkennen. Der Mann schlug dem Wirt <u>mit dieser Hand</u> <u>auf die Schulter</u> und schoss, <u>weil er ihn zur Eile antreiben wollte</u>, <u>drei Mal</u> <u>in die Decke</u>. Plötzlich zuckte der maskierte Mann zusammen, <u>denn aus der Küche stürzte ein Hund zähnefletschend in das Lokal</u>. Daraufhin drehte sich der Mann um und floh <u>nach draußen</u>. Übrigens trug er <u>in seiner Jackentasche</u> eine Tageszeitung. <u>Von der Eingangstür aus</u> sahen wir ihm erleichtert nach. <u>Mit einem auffällig roten Fahrrad</u> fuhr er <u>stadtauswärts</u> davon. Lange Haarsträhnen schauten am Hinterkopf aus seiner Strumpfmaske hervor. Die Haare waren nicht nur lang, sondern auch <u>rot</u>. Ich glaube, ich habe ihn schon einmal gesehen, <u>denn ein Mann mit roten Haaren verkauft Tageszeitungen an einem Kiosk</u>.

Attribute

G–S 36: „Tierisch" gute Beschreibungen

1. a-b):
das rosa Ferkel, der schlaue Fuchs, das wiehernde Pferd, das gackernde Huhn, die lahme Ente, der schwarze Panther, die gescheckte Kuh, das unschuldige Lamm, der stolze Schwan, der bellende Hund, der federleichte Schmetterling, der dickhäutige Elefant

1. c):

Adjektivattribut	Partizip
schlaue, schwarze, rosa, lahme, unschuldige, stolze, dickhäutige, federleichte	*gackernde, wiehernde, bellende, gescheckte*

2. a): _____ = Adjektivattribute   _____ = Partizipien

... Der <u>schlanke</u> Mann hat eine <u>dunkle</u> Hautfarbe und <u>gelocktes</u> Haar. Der <u>bärtige</u> Täter war mit einer <u>beigefarbenen</u> Windjacke und <u>schwarzen</u> Trainingsschuhen ... Der <u>muskulöse</u> Mann spricht mit <u>ausländischem</u> Akzent und hat eine <u>breite</u> Narbe ... eine <u>klaffende</u> und <u>blutende</u> Wunde am <u>rechten</u> Unterarm.

Auch der <u>zweite</u> Täter ... der <u>hellhäutige</u> Mann hat <u>dichte</u>, <u>blonde</u> Haare und <u>blaue</u> Augen ... eine <u>graue</u> Wollmütze, einen <u>dunkelblauen</u> Pullover und <u>braune</u>, <u>gefütterte</u> Stiefel. Der <u>gesuchte</u> Mann hat einen <u>stoppeligen</u> Vollbart und spricht <u>hessischen</u> Dialekt.

2. b): Beispiel

Gesucht wird eine Frau zwischen 18 und 23 Jahren.
Sie ist ca. 1,60 m groß und von zierlicher Gestalt. Sie hat rote, glatte Haare, die zu einem dicken Zopf geflochten sind. Ihre Hände bedecken viele Sommersprossen. Ihr Gesicht war während des Banküberfalls so weit mit einem schwarzen, seidenen Tuch bedeckt, dass nur die grünen Augen und die hohe Stirn sichtbar waren. Sie trägt eine zerschlissene, rote Motorradkluft und blaue Moonboots.

G–S 37: Tour de France

1. a):
Am Rand *der abgesteckten Fahrbahn* herrscht große Aufregung. Seit Tagen schon fiebern begeisterte Radsportfans der Ankunft *des Fahrerfeldes* in Paris entgegen. „Planchi" steht in großen Buchstaben auf dem Fahrradrahmen *des Favoriten*, Mirco Pantini, zu lesen. Tim kann sich das gleichmäßige Treten *der Radprofis* schon gut vorstellen. Ihm gefällt das Rad *des besten Sprinters*, Rick Zobel, am besten. Ob wohl die Ankündigung *der Zeittafel* stimmt? Danach müssten die Fahrer *der Siegermannschaft* in etwa 30 Minuten auf den Champs-Élysées, im Zentrum *der französischen Hauptstadt*, eintreffen. „Hoffentlich gewinnt mein Lieblingsteam", wünscht sich Tim und träumt von einer Karriere als Radprofi.

1. b):
das gelbe Trikot des Etappensiegers – das grüne Trikot des Sprintkönigs – das gepunktete Trikot des Bergetappensiegers

2. a):
die Graffiti <u>an der Ufermauer</u>, die Fahrt <u>über den Pass</u>, eine Tüte <u>mit Fritten</u>, ein Reporter <u>vom Fernsehen</u>, die Betreuer <u>im Mannschaftswagen</u>, ein Fan <u>am Wegesrand</u>

2. b): Beispielsätze
Die Graffiti an der Ufermauer leuchteten hell in der Abendsonne.
Die Fahrt über den Pass bedeutete für einen Fahrer das Aus.
Motte kaufte am Imbisswagen eine Tüte mit Fritten.
Ein Reporter vom Fernsehen interviewte einen Radfahrer.
Die Betreuer im Mannschaftswagen reichten Trinkflaschen.
Ein Fan am Wegesrand jubelte den Fahrern zu.

3. a):
„Das Rennrad <u>dort</u> ... „Die Stimmung <u>hier</u> ...
„Fritten <u>draußen</u> ... „Das Radrennen <u>damals</u> ...

3. b): Beispiele
„Die Häuserreihe dahinter bekommt keine Sonne", erklärte der Architekt.
„Der Besitzer vorher wollte keine Hundehaltung", bemerkte der Eigentümer.

Attribute

> **G–S 38:** Weißt du das?

4. a-b):

Niklas liest gerade ein Buch über Thomas Alva Edison, <u>den Erfinder der Glühbirne</u>.

In Essen gibt es eine Ausstellung von Vincent van Gogh, <u>dem bekannten holländischen Maler</u>.

Astrid Lindgren, <u>eine schwedische Kinderbuchautorin</u>, erschuf Pippi Langstrumpf und Kalle Blomquist.

Konrad Adenauer, <u>der erste deutsche Bundeskanzler</u>, wurde 1876 in Köln geboren.

Anna und Daria unterhalten sich über Katharina die Große, <u>die einflussreiche Kaiserin</u>, die im 18. Jahrhundert Russland regierte.

Kennst du Martin Luther, <u>den Reformator der spätmittelalterlichen Kirche</u>?

Im Kunstunterricht stellt die Lehrerin Pablo Picasso, <u>den spanischen Maler und Bildhauer aus Malaga</u>, vor.

5. a-b):

Das Fagott ist ein großes <u>Holzblasinstrument</u>, das warme und samtige Töne hervorbringt.

Das Tamburin ist eine flache <u>Trommel</u> mit kleinen Schellen, die mit den Fingern geschlagen wird.

Die Gitarre ist ein <u>Saiteninstrument</u>, das auch in elektrisch spielenden Bands verwendet wird.

Die Orgel ist ein <u>Tasteninstrument</u>, das hauptsächlich in der Kirchenmusik eingesetzt wird.

Der Kontrabass ist ein <u>Saiteninstrument</u>, das im Stehen gespielt wird.

Die Mundharmonika ist ein kleines <u>Blasinstrument</u>, das in eine Hosentasche passt.

5. c): Beispiele

Die Trompete ist ein Blasinstrument, mit der man über drei Ventile verschiedene Töne blasen kann.

Das Cello ist ein Saiteninstrument, dessen Saiten durch Streichen mit einem Bogen zum Erklingen gebracht werden.

G–S 39: Schwanensee

a):

Aufgeregte Menschen drängeln sich in den überfüllten Vorraum des Frankfurter Schauspielhauses. William Forsythe, ein bekannter New Yorker Ballettchoreograf, führt „Schwanensee", ein Ballett von P. I. Tschaikowsky, an der Frankfurter Bühne auf.
Eigentlich stehen Julian und Nadine ja eher auf fetzige Rockmusik oder Hip-Hop, aber die Großmutter der beiden Geschwister, die ein echter Ballettfan ist, meinte, dass „Schwanensee" ganz besonders schön sei. Also ziehen die Geschwister ihre feinsten Kleider an und begleiten ihre rüstige Großmutter. Der Mann am Kartenschalter runzelt ein wenig die Stirn, als er Julian und Nadine sieht, doch Großmutter zeigt schnell die reservierten Karten, teure Logenkarten, und der gestresste Kartenverkäufer lässt die drei am Eingang des Kartenschalters vorbeigehen.
Voll gespannter Erwartung nehmen die Kinder ihre Plätze ein. Plötzlich erkennt Julian inmitten der Menschenmenge Andrea, seine Schulfreundin, und deren jüngeren Bruder Mark, der ein Programmheft in der Hand hält. Die Kinder winken sich noch zu, als es auf einmal dunkel im Saal wird und der schwere rote Vorhang sich öffnet. Ein bärtiger Mann mit Hut verdeckt Nadine zunächst die Sicht auf die Bühne, doch dann können die Geschwister das prächtige Farbenspiel der Bühnenbeleuchtung genießen. Als schließlich das junge Tanzpaar in strahlend weißen Kostümen auf der Bühne erscheint und das große Orchester zu spielen beginnt, sind die Kinder restlos begeistert. So schön hatten sie sich den Abend im Ballett nicht vorgestellt.

b):

Vorangestellte Attribute
Adjektive: *bekannter, fetzige, beiden, echter, feinsten, rüstige, teure, voll, jüngeren, schwere, rote, bärtiger, prächtige, junge, weißen, große*
Partizipien: *aufgeregte, überfüllten, reservierten, gestresste, gespannter, strahlend*

Attribute

b):

<u>Nachgestellte Attribute</u>
Genitivattribute: *des Frankfurter Schauspielhauses, der beiden Geschwister, des Kartenschalters, der Bühnenbeleuchtung*
Attribute mit Präposition: *von P. I. Tschaikowsky, am Kartenschalter, mit Hut, auf die Bühne, im Ballett*
Appositionen: *ein bekannter New Yorker Ballettchoreograf, ein Ballett von P. I. Tschaikowsky, teure Logenkarten, seine Schulfreundin*
Attribut-/Relativsätze: *die ein echter Ballettfan ist, der ein Programmheft in der Hand hält*

G–S 41: Sport ist gesund?!

1. a-b): Vor „und" wird hier kein Komma gesetzt.

Verenas Klasse hatte gestern Sportunterricht in der Turnhalle, denn sie wollte das Trampolinspringen üben.
Pünktlich zur dritten Stunde warteten alle Schüler vor der Turnhalle, aber/doch/jedoch der Sportlehrer ließ auf sich warten.
Endlich kam Herr Fischbach und man sah ihm an, weshalb er sich verspätet hatte.
Herr Fischbach hatte nämlich eine Grippe, doch/aber/jedoch er wollte den Sportunterricht nicht ausfallen lassen.
Herr Fischbach gab heute nicht selbst die Hilfestellung am Trampolin, sondern er überließ Nils und Oliver diese Aufgabe.
Die beiden Jungen hatten sich schon früher bewährt, jedoch/doch/aber sie konnten es nicht verhindern, dass sich Verena den Fuß verstauchte.
Herr Fischbach fuhr Verena ausnahmsweise mit dem Auto nach Hause, denn Verena konnte kaum noch auftreten.

2. a-b): Vor „oder" und „und" lässt man das Komma hier weg.

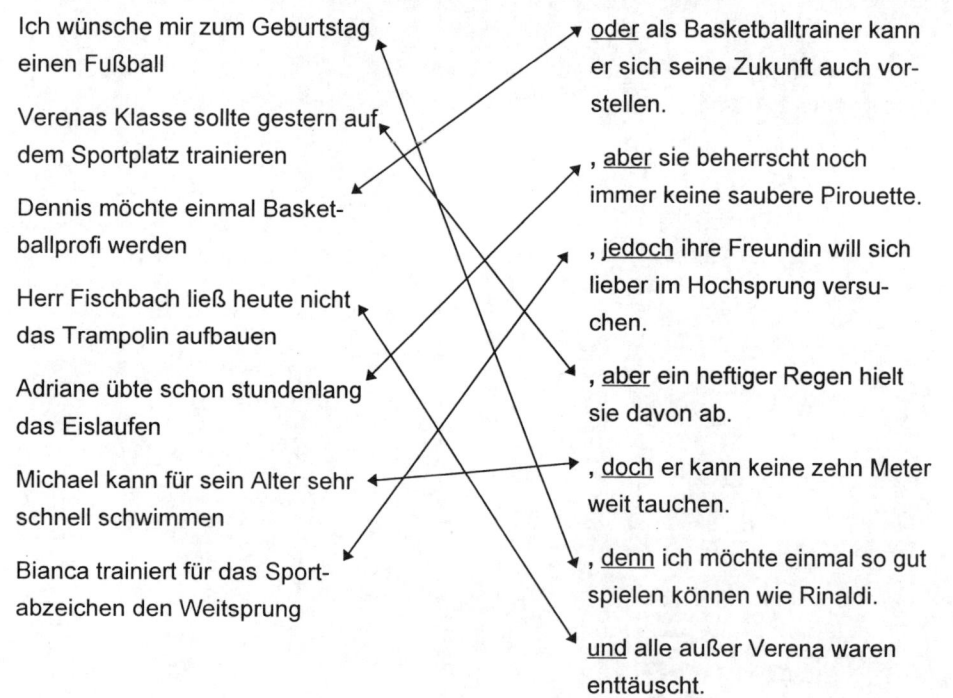

Ich wünsche mir zum Geburtstag einen Fußball	oder als Basketballtrainer kann er sich seine Zukunft auch vorstellen.
Verenas Klasse sollte gestern auf dem Sportplatz trainieren	, aber sie beherrscht noch immer keine saubere Pirouette.
Dennis möchte einmal Basketballprofi werden	, jedoch ihre Freundin will sich lieber im Hochsprung versuchen.
Herr Fischbach ließ heute nicht das Trampolin aufbauen	, aber ein heftiger Regen hielt sie davon ab.
Adriane übte schon stundenlang das Eislaufen	, doch er kann keine zehn Meter weit tauchen.
Michael kann für sein Alter sehr schnell schwimmen	, denn ich möchte einmal so gut spielen können wie Rinaldi.
Bianca trainiert für das Sportabzeichen den Weitsprung	und alle außer Verena waren enttäuscht.

Sätze verknüpfen

2. c): Beispiele

Zum Sportstudium wurde Eva nicht zugelassen, denn sie konnte kein aktuelles Sportabzeichen nachweisen.
Das Kugelstoßen habe ich als Jugendlicher nie geschafft, aber im Speerwerfen konnte mich keiner schlagen.
Großvater war nicht nur ein guter Turner, sondern er sah auch aus wie ein Kraftsportathlet.

G–S 42:	Schule und Alltag

1. a-b): Das Komma trennt immer den Hauptsatz vom Gliedsatz.

Bevor du mit den Hausaufgaben <u>beginnst</u>, solltest du deinen Schreibtisch ordnen.
Wenn Moritz einen Text laut <u>spricht</u>, prägt er sich den Inhalt besser ein.
Nachdem Su die Schablone <u>ausgeschnitten hatte</u>, konnte sie mit dem Siebdruck beginnen.
Ich lerne meine Vokabeln, **damit** ich eine fremde Sprache besser <u>sprechen kann</u>.
Obwohl Thomas in Geschichte <u>aufgepasst hatte</u>, schrieb er im Test eine Fünf.
Ich war sehr verlegen, **als** ich plötzlich mein Hausaufgabenheft <u>zeigen sollte</u>.
Viele Kinder gehen nicht gern zur Schule, **weil** sie lieber Freizeit <u>haben möchten</u>.
Weißt du schon so viel, **dass** du deinen Lehrern etwas <u>vormachen kannst</u>?
Beatrice wird im Rechnen sicherer, **indem** sie regelmäßig Kopfrechnen <u>übt</u>.
Obgleich du hier viel zur Kommasetzung <u>lernen kannst</u>, willst du jetzt sicher aufhören.

1. c):
Du solltest deinen Schreibtisch ordnen, bevor du ... beginnst.
Moritz prägt sich den Inhalt besser ein, wenn er einen Text laut spricht.
Su konnte mit dem Siebdruck beginnen, nachdem sie ... ausgeschnitten hatte.
Damit ich eine fremde Sprache ... sprechen kann, lerne ich meine Vokabeln.
Thomas schrieb im Test eine Fünf, obwohl er in Geschichte aufgepasst hatte.
Als ich plötzlich mein Hausaufgabenheft zeigen sollte, war ich sehr verlegen.
Weil viele Kinder ... Freizeit haben möchten, gehen sie nicht gern zur Schule.
Indem Beatrice regelmäßig Kopfrechnen übt, wird sie im Rechnen sicherer.
Du willst jetzt sicher aufhören, obgleich du hier viel ... lernen kannst.

2. a-b):

Benedikt soll seine Zähne putzen, bevor er abends ins Bett <u>geht</u>.
David sammelt im Wald Pilze, damit er eine Pilzpfanne zubereiten <u>kann</u>.
Wir machen am Sonntag einen Ausflug ..., wenn das Wetter schön <u>ist</u>.
Maria flickt einen Fahrradschlauch, während Tim Bretter <u>zersägt</u>.
Mutter backt einen ...kuchen, da die Zwillinge morgen Geburtstag <u>haben</u>.
Du kannst das Schachspiel lernen, indem du Schachspielern <u>zusiehst</u>.

G–S 43:	Jan hat ein Problem

3. a-b):

„Ich weiß, ~~weil~~ <u>dass</u> heute ein guter Film im Kino läuft", ...
~~Als~~ <u>Obwohl</u> Jan große Lust hat mit Mirco ins Kino zu gehen, schüttelt er traurig den Kopf. ...
„~~Damit~~ <u>Weil</u> meine Mutter heute einen Termin beim Zahnarzt hat, muss ich auf meinen kleinen Bruder aufpassen." ...
~~Nachdem~~ <u>Während</u> Jan noch überlegt, schüttelt er schon den Kopf. „Nein", meint er schließlich, „~~dass~~ <u>wenn</u> David das dann Mutter erzählt, darf ich ohnehin nicht mehr ins Kino gehen. ...
Die zwei Freunde schauen sich ratlos an, ~~da~~ <u>ohne dass</u> ihnen eine Lösung einfällt. ...
Und ~~bis~~ <u>als</u> Mirco nickt, redet Jan sofort begeistert weiter. „Ich frage Stella einfach mal, ~~weil~~ <u>ob</u> sie auf David aufpassen kann. ~~Obwohl~~ <u>Wenn</u> Stella mit ihm spielt, hält er Mutter gegenüber bestimmt dicht ..."

4. a-b):

Warum bist du mit Mirco ins Kino gegangen? Ich bin mit Mirco ins Kino gegangen, <u>weil</u> ich den neuen Film unbedingt sehen wollte.
Wann habt ihr euch denn zum Kino verabredet? Wir haben uns zum Kino verabredet, <u>als</u> wir aus der Schule kamen.
Wie habt ihr denn Stella überredet, auf David aufzupassen? Wir haben Stella überredet, auf David aufzupassen, <u>indem</u> wir ihr eine große Portion Eis versprochen haben.
Wozu habt ihr denn eure Schülerausweise mitgenommen? Wir haben unsere Schülerausweise mitgenommen, <u>damit</u> der Kartenverkäufer uns glaubt, dass wir zwölf Jahre alt sind.
Wie lange habt ihr vor dem Kino gewartet? Wir haben vor dem Kino gewartet, <u>bis</u> der Kassenschalter geöffnet wurde.

Sätze verknüpfen

G–S 44: Film ab ...

1. a):

Daniel, Urs <u>und</u> Lea sitzen in Leas Zimmer. Sie schauen zu, <u>wie</u> dicke Regentropfen an den Fensterscheiben herunterrinnen <u>und</u> sich in kleine Bäche verwandeln.
... Eigentlich wollten sie zum Baden an den See fahren <u>oder</u> eine Radtour wäre auch nicht schlecht gewesen, <u>aber</u> ein heftiges Sommergewitter hatte ihre Pläne verdorben. „Mir ist so langweilig", ..., „<u>und</u> <u>weil</u> ich so viele Gummibärchen gegessen habe, ist mir jetzt auch noch schlecht." <u>Obwohl</u> niemand Urs' Gejammer ernst zu nehmen scheint, wendet sich Daniel schließlich an den Freund: ... „trotzdem finde ich auch, <u>dass</u> wir etwas unternehmen sollten." Lea sitzt schon seit einiger Zeit grübelnd auf dem Boden, <u>doch</u> plötzlich leuchtet ihr Gesicht. „Könnt ihr euch noch an die letzte Physik-Stunde vor den Ferien erinnern, <u>als</u> Herr Hill eine Fotokamera und Filme mitbrachte?" ... „Der Lehrer hat uns erklärt, <u>dass</u> man Fotos auch selbst entwickeln kann." ... Sie erhebt sich <u>und</u> lächelt geheimnisvoll. „Kannst du uns mal verraten, <u>was</u> du eigentlich vorhast?" ... <u>Während</u> Lea noch fragend in die Runde schaut, springt Daniel auf, <u>denn</u> er ist sofort Feuer und Flamme. „<u>Wenn</u> wir den kleinen Kellerraum in eine Dunkelkammer verwandeln könnten, wäre das toll", ... „<u>Da</u> wir viel Zeit für das Ausräumen brauchen, fangen wir am besten gleich damit an", ... „In die Tür müssen wir zum Beispiel auch Luftschlitze sägen, <u>damit</u> die Fotos gut trocknen können, <u>wenn</u> wir sie entwickelt haben. Als Ausguss sollten wir eine alte Kunststoffwanne nehmen, <u>denn</u> dort können wir den Bilderwascher hineinstellen, <u>ohne dass</u> andere Gegenstände mit Chemikalien in Berührung kommen ..." Begeistert schmieden die Jungen Pläne <u>und</u> sie bemerken dabei nicht, <u>dass</u> Lea auf einmal sehr nachdenklich aussieht. ...

1. b):

nebenordnende Konjunktionen: *und* (5x), *oder, aber, doch, denn* (2x)
unterordnende Konjunktionen: *weil, obwohl, dass* (3x), *als, während, wenn* (2x), *da, damit, ohne dass*
andere Wörter: *wie, was*

2.): Beispiele

Obwohl die Kinder viel Arbeit haben, macht ihnen das Ausräumen des Kellers Spaß.
Am Badesee haben die drei Freunde immer viel Spaß oder sollen sie lieber eine Radtour machen?
Wenn Lazy mit einem Mädchen flirtet, lauert Motte mit der Kamera hinterm Strauch.
Nachdem Motte Lazy das Beweisfoto seines Flirts gezeigt hatte, errötete Lazy verlegen.
Weil die drei Freunde beim Baden im See vom Gewitter überrascht werden, rennen sie aus dem Wasser.
Urs hat bereits Bauchweh, doch er kann die Finger nicht von den leckeren Gummibärchen lassen.

G–S 45: Annes Meerschweinchen

3. a-b): ____ = nebenordnende Konjunktion ____ = unterordnende Konjunktion

... <u>Obwohl</u> das Tier zunächst noch ein wenig scheu ist, fasst es bald Vertrauen zu seiner neuen Spielkameradin. ... Jeden Morgen steht das Mädchen nun früher auf, <u>weil</u> Strubbel Hunger hat. Pfeifend macht das Tierchen auf sich aufmerksam <u>und</u> es macht dabei am Käfiggitter Männchen. <u>Indem</u> Anne immer zur gleichen Zeit füttert, gewöhnen sich Mensch und Tier schnell aneinander. Bald ist Strubbel so zutraulich, <u>dass</u> Anne ihn in ihrem Zimmer umherlaufen lässt. <u>Wenn</u> Anne an ihrem Schreibtisch sitzt und Schulaufgaben macht, nagt das kleine Meerschweinchen ganz behutsam an Annes Socken. Das heißt dann so viel wie „ich möchte mit dir spielen" <u>oder</u> es könnte auch bedeuten „beeil dich mal ein bisschen mit deinen doofen Aufgaben". ... <u>Da</u> sie mit ihren Aufgaben nicht lange herumtrödelt, hat sie dann auch bald Zeit für Strubbel. Auch Annes Eltern freuen sich, <u>dass</u> ihre Tochter nun so schnell mit den Hausaufgaben fertig ist. Sie versprechen ihr deshalb ein zweites Haustier, <u>aber</u> das wird dann ein Kaninchen sein, <u>denn</u> Kaninchen <u>und</u> Meerschweinchen verstehen sich sehr gut.

Sätze verknüpfen

4. a):

Es wird sicher schnell zahm werden, *wenn* du dich viel mit ihm beschäftigst. (G)
Ich habe ihr eine Schlafhöhle gebaut, *damit* sie ihren Winterschlaf halten kann. (G)
Man kann den Boden mit Sand bestreuen *oder* man legt ihn mit Sandpapier aus. (R)
Maxi mag seit Tagen nichts fressen, *obwohl* Mohrrüben ihre Lieblingsspeise sind. (G)
Er will einfach nicht seinen Namen „Beo" lernen, *sondern/denn* er sagt immer „Ara". (R)
Dir geht es bestimmt bald besser, *denn* morgen gehen wir zum Tierarzt. (R)

4. b): Beispiele

Satzreihen:
Unser Igel muss nicht nur täglich zum Tierarzt, sondern wir müssen auch nachts nach ihm sehen.
Die Katzenkinder trinken Milch aus einer kleinen Flasche und das ist sehr aufwendig.
Der Elefant im Zoo liegt nachts an der Kette, doch er versucht trotzdem die Schlafplätze anderer zu bekommen.
Satzgefüge:
Bevor das Nilpferd nach dem Salat schnappt, taucht es noch einmal unter.
Sobald der strenge Winter einsetzt, suchen sich die Eisbären eine Höhle.
Wir halten zwei Wellensittiche, weil diese Vögel sehr gesellig sind.

G–S 46:	Test

1. a):

Es ist Freitagmittag und Mareike und Anne haben Schulschluss. „Endlich Wochenende!", ruft Mareike fröhlich. „Wir könnten in den neuen Actionfilm gehen", schlägt sie vor. „Hast du Lust?" Die Freundin nickt zögernd. „Sollen wir gleich heute Abend gehen?", erkundigt sich Mareike unternehmungslustig. Da Anne schweigt, stößt Mareike sie leicht in die Seite. „He, ich hab was gefragt. (!)" – „Ich weiß noch nicht", murmelt Anne. Stirnrunzelnd sucht Mareike den Blick der Freundin. „Was weißt du noch nicht?" Anne hält dem Blick nicht lange stand. „Ob ich heute Abend überhaupt kann." Mareike stemmt die Hände in die Hüften. „Wie soll ich das denn verstehen?" Anne heftet den Blick auf ihre Schuhspitzen und sagt kurz angebunden: „Vielleicht hab ich ja eine andere Verabredung." Mareike versteht gar nichts mehr. „Hast du denn eine andere Verabredung? Sag es doch einfach!" Inzwischen stehen sie vor dem Haus, in dem Anne wohnt. „Hallo, ihr beiden!" Annes Mutter ist gerade dabei, einen Getränkekasten im Kofferraum ihres Autos zu verstauen. „Willst du mit zum Supermarkt fahren, Anne? Dann komm!" Anne läuft los, ruft aber noch über die Schulter zurück: „Ich ruf dich dann an!"

1. b): _____ = Aufforderungssätze .... = Ausrufesätze

... „Endlich Wochenende!" ... „He, ich hab was gefragt! (.)" ... Sag es doch einfach!" ... „Hallo, ihr beiden!" ... Dann komm!" ... „Ich ruf dich dann an!"

1. c): _____ = deutliche Äußerung _____ = weniger deutliche Äußerung

„Wir könnten in den neuen Actionfilm gehen", schlägt sie vor. „Hast du Lust?" Die Freundin nickt zögernd. „Sollen wir gleich heute Abend gehen?", erkundigt sich Mareike unternehmungslustig. Da Anne schweigt, stößt Mareike sie leicht in die Seite. „He, ich hab was gefragt. (!)" – „Ich weiß noch nicht", murmelt Anne. Stirnrunzelnd sucht Mareike den Blick der Freundin. „Was weißt du noch nicht?" Anne hält dem Blick nicht lange stand. „Ob ich heute Abend überhaupt kann." Mareike stemmt die Hände in die Hüften. „Wie soll ich das denn verstehen?" Anne heftet den Blick auf ihre Schuhspitzen und sagt kurz angebunden: „Vielleicht hab ich ja eine andere Verabredung." Mareike versteht gar nichts mehr. „Hast du denn eine andere Verabredung? Sag es doch einfach!" ... Anne läuft los, ruft aber noch über die Schulter zurück: „Ich ruf dich dann an!"

Antwort: Anne hat sicherlich eine andere Verabredung, über die sie nicht sprechen möchte.

Test 43

2. a):

1 Kerstin hat sich das Haar rot getönt, <u>denn</u> Rot ist die Lieblingsfarbe ihres Freundes.
2 Lisas Bruder ist ein richtiger Lausbub, <u>aber/doch</u> vor Spinnen rennt Jan schreiend davon.
3 Opa geht nicht mehr in seine langjährige Stammkneipe, <u>sondern</u> er geht jetzt in ein feines Café.
4 Roberto möchte gern Tischtennis spielen, <u>doch/aber</u> seine Freundin will lieber Musik hören.
5 Fahren deine Eltern mit dir zur Gokart-Bahn <u>oder</u> kommst du mit uns zum Badesee?
6 Saime ist ein Ass in Leichtathletik <u>und</u> deshalb trainiert sie jetzt in einem Verein.

2. b):

1 Die Wiesen dampften vor Feuchtigkeit, <u>nachdem</u> das Sommergewitter abgezogen war.
2 Frau Müller verschließt die Putzmittel gut, <u>damit</u> der kleine Tim sie nicht entdecken kann.
3 Bruno kam um die Ecke, <u>als</u> der Bus gerade abfuhr.
4 <u>Weil</u> Tanjas Mutter endlich fünf Kilo abnehmen will, isst sie abends nur noch Obst.
5 <u>Wenn</u> sein Frauchen „Sitz!" sagt, setzt sich der gut erzogene Hund.
6 <u>Obwohl</u> Andreas den Ton nicht halten kann, will er unbedingt im Chor mitsingen.

<u>Da</u> Tanjas Mutter endlich fünf Kilo abnehmen will, isst sie abends nur noch Obst.
Frau Müller verschließt die Putzmittel gut, <u>sodass</u> der kleine Tim sie nicht entdecken kann.

2. c):

1 <u>Nachdem</u> das Sommergewitter abgezogen war, dampften die Wiesen vor Feuchtigkeit.
2 <u>Damit</u> der kleine Tim die Putzmittel nicht entdecken kann, verschließt Frau Müller sie gut.
3 <u>Als</u> der Bus gerade abfuhr, kam Bruno um die Ecke.
4 Tanjas Mutter isst abends nur noch Obst, <u>weil</u> sie endlich fünf Kilo abnehmen will.
5 Der gut erzogene Hund setzt sich, <u>wenn</u> sein Frauchen „Sitz!" sagt.
6 Andreas will unbedingt im Chor mitsingen, <u>obwohl</u> er den Ton nicht halten kann.

2. d): Beispiele

3 Bruno kam um die Ecke <u>und</u> der Bus fuhr gerade ab.
5 Sein Frauchen sagt „Sitz!" <u>und</u> der gut erzogene Hund setzt sich.
6 Andreas kann den Ton nicht halten, <u>aber/doch</u> er will unbedingt im Chor mitsingen.

G–S 47:   Test

3. a):

Mario und Carla / <u>haben</u> / uns / begeistert / von ihrem aufregenden Erlebnis / <u>erzählt</u> .

Dieser Satz hat fünf Satzglieder.

3. b):

Uns haben Marco und Carla begeistert von ihrem aufregenden Erlebnis erzählt .
Begeistert haben uns Marco und Carla von ihrem aufregenden Erlebnis erzählt .
Von ihrem aufregenden Erlebnis haben uns Marco und Carla begeistert erzählt .
Haben uns Marco und Carla begeistert von ihrem aufregenden Erlebnis erzählt ?

Test 45

3. c): _____ = Subjekt _____ = Prädikat

(1) Der zwölfjährige Olaf will ... machen. (2) ... imponiert Olafs Ehrgeiz.
(3) ... beschließt sie ... (4) Sie fragt ..., ... kennt er ...
(5) ... gehen die beiden ... (6) ... Die Angestellte, eine junge Frau, begrüßt ...
(7) Lisa und Olaf erklären ... (8) Die Frau holt ... hervor.
(9) ..., lesen sie ... durch. (10) Die Übungen sind ... geordnet.
(11) ... können Elf- und Zwölfjährige ... schwimmen.
(12) ... wird Hoch- oder Weitsprung gefordert.
(13) Olaf, der für sein Alter sehr groß ist, entscheidet sich ...
(14) ..., schafft er ... (15) ... will Lisa ... laufen.
(16) Ihre besondere Vorliebe gilt ...
(17) ... hat sie ... erzielt, ... (18) Olaf hat ..., ... er darf ... werfen.
(19) Der weiteste Wurf zählt. (20) ... können ... die Jungen ... laufen.
(21) Mädchen dürfen ... antreten. (22) ... wird ... 4.50 min gegeben.
(23) ... wissen Lisa und Olaf ... (24) ... müssen sie ... herauskriegen, ...
(25) ... erkundigen sie sich ... (26) Olaf will ... haben, ... das geht ...
(27) ... bekommt man ... (28) ... ist das Abzeichen abgebildet.
(29) Es besteht ...

3. d): _____ = Dativobjekte _____ = Akkusativobjekte

*(1) Der zwölfjährige Olaf will das Sportabzeichen machen.
(Wen oder was will der zwölfjährige Olaf machen?)
(2) Lisa, seiner Mitschülerin, imponiert Olafs Ehrgeiz.
(Wem imponiert Olafs Ehrgeiz?)
(6) Die Angestellte, eine junge Frau, begrüßt sie freundlich .
(Wen oder was begrüßt die Angestellte freundlich?)
(7) Lisa und Olaf erklären ihr den Grund ihres Besuches.
(Wem erklären Lisa und Olaf den Grund ihres Besuches?
Wen oder was erklären ihr Lisa und Olaf?)
(8) Die Frau holt daraufhin aus einer Schublade ein Blatt mit den Bedingungen
hervor. (Wen oder was holt die Frau hervor?)*

3. d): _____ = Dativobjekte _____ = Akkusativobjekte

(11) In Gruppe 1, dem Schwimmen, können Elf- und Zwölfjährige nur die 50-m-Strecke schwimmen. (Wen oder was können Elf- und Zwölfjährige nur schwimmen?)
(14) ... schafft er ohne Mühe die geforderte Höhe von 1,00 m.
(Wen oder was schafft er ohne Mühe?)
(16) Ihre besondere Vorliebe gilt Gruppe 4, den Wurfübungen.
(Wem/Was gilt ihre besondere Vorliebe?)
(18) Olaf hat beim Werfen Schwächen, aber er darf ja dreimal werfen.
(Wen oder was hat Olaf beim Werfen?)
(22) Dafür wird den Läuferinnen 4.50 min gegeben.
(Wem wird dafür 4.50 min gegeben?)
(26) Olaf will gern das goldene Abzeichen haben, aber das geht nicht.
(Wen oder was will Olaf gern haben?)
(27) Bei der ersten Verleihung bekommt man das Sportabzeichen in Bronze.
(Wen oder was bekommt man bei der ersten Verleihung?)

3. e):

(4) Sie fragt Olaf nach den Bedingungen, aber ...
(Wonach fragt sie Olaf? Nach den Bedingungen.)
(10) Die Übungen sind nach Gruppen geordnet.
(Wonach sind die Übungen geordnet? Nach Gruppen.)
(13) Olaf, der für sein Alter sehr groß ist, entscheidet sich für den Hochsprung.
(Wofür entscheidet sich Olaf? Für den Hochsprung.)
(25) Nach der Zeit und dem Sportplatz erkundigen sie sich im Büro des Sportamtes.
(Wonach erkundigen sie sich im Büro des Sportamtes? Nach der Zeit und dem Sportplatz.)
(29) Es besteht aus vier kreisförmigen Abbildungen, die Sportarten darstellen.
(Woraus besteht es? Aus vier kreisförmigen Abbildungen, die ...)

Test

3. f): in der Reihenfolge der Sätze
(3) Adverbiale der Art und Weise: <u>Wie</u> beschließen sie ...?
Adverbiale des Grundes: <u>Weshalb</u> beschließen sie ...?
<u>Deshalb</u> beschließt sie <u>kurzerhand</u> ebenfalls das Sportabzeichen zu machen.
(5) Adverbiale des Ortes: <u>Wohin</u> gehen die beiden ...?
Adverbiale der Zeit: <u>Wann</u> gehen die beiden ...?
Also gehen die beiden <u>nach der Schule</u> <u>zum städtischen Sportamt</u>.
(6) Adverbiale der Art und Weise: <u>Wie</u> begrüßt die Angestellte sie?
Die Angestellte, eine junge Frau, begrüßt sie <u>freundlich</u>.
(8) Adverbiale des Ortes: <u>Woher</u> holt die Frau ...?
Die Frau holt daraufhin <u>aus einer Schublade</u> ein Blatt ... hervor.
(9) Adverbiale der Zeit: <u>Wann</u> lesen sie ...?
Adverbiale der Art und Weise: <u>Wie</u> lesen sie ...?
<u>Als Olaf und Lisa draußen sind,</u> lesen sie <u>mit Spannung</u> alles durch.
(14) Adverbiale der Art und Weise: <u>Wie</u> schafft er die geforderte Höhe ...?
Adverbiale des Grundes: <u>Warum</u> schafft er die geforderte Höhe ...?
<u>Da er auch eine gute Sprungkraft hat,</u> schafft er <u>ohne Mühe</u> die geforderte Höhe von 1,00 m.
(17) Adverbiale des Grundes: <u>Warum</u> hat sie schon Weiten erzielt, die ...?
<u>Dank ihrer guten Technik</u> hat sie schon Weiten erzielt, die ...
(18) Adverbiale der Zeit: <u>Wie oft</u> darf er werfen?
Olaf hat ..., aber er darf ja <u>dreimal</u> werfen.
(24) Adverbiale der Zeit: <u>Wann</u> müssen sie noch herauskriegen, wo ...?
<u>Jetzt</u> müssen sie noch herauskriegen, wo ...
(25) Adverbiale des Ortes: <u>Wo</u> erkundigen sie sich ...?
Nach der Zeit und ... erkundigen sie sich <u>im Büro des Sportamtes</u>.
(26) Adverbiale der Art und Weise: <u>Wie</u> will Olaf das goldene Abzeichen haben?
Olaf will <u>gern</u> das goldene Abzeichen haben, aber ...

3. g):

Adjektivattribute:

(1) Der zwölfjährige Olaf - (5) zum städtischen Sportamt -
(14) eine gute Sprungkraft - (16) Ihre besondere Vorliebe -
(17) Dank ihrer guten Technik - (19) Der weiteste Wurf -
(26) das goldene Abzeichen - (29) aus vier kreisförmigen Abbildungen

Genitivattribute:

(2) Olafs Ehrgeiz - (7) den Grund ihres Besuches -
(25) im Büro des Sportamtes

präpositionale Attribute:

(8) ein Blatt mit den Bedingungen - (15) Aus der Gruppe mit den Kurzstrecken - (27) das Sportabzeichen in Bronze

Appositionen:

(2) Lisa, seiner Mitschülerin, imponiert Olafs Ehrgeiz.
(6) Die Angestellte, eine junge Frau, begrüßt sie freundlich.
(11) In Gruppe 1, dem Schwimmen, können Elf- und Zwölfjährige nur die 50-m-Strecke schwimmen.
(16) Ihre besondere Vorliebe gilt Gruppe 4, den Wurfübungen.

Relativsätze:

(13) Olaf, der für sein Alter sehr groß ist, entscheidet sich für den Hochsprung.
(17) Dank ihrer guter Technik hat sie schon Weiten erzielt, die auch Jungen kaum schaffen.
(29) Es besteht aus vier kreisförmigen Abbildungen, die Sportarten darstellen.

Nur für den internen Gebrauch des STUDIENKREISES
© 1999 STUDIENKREIS® GfM, Bochum, Universitätsstraße 104

Druck 4 3 2 1 / 2002 2001 2000 1999

Erarbeitet von Edda de Corte und Gisela Krosch
unter Mitarbeit von Kerstin Schlotter
Druck und Bindung: Lensing Druck, Ahaus

Lernen mit System

STUDIENKREIS®

Tel.: 19 441 bundesweit

MOTTES & LAZYS

DEUTSCH HELFER

LÖSUNGEN

GRAMMATIK: Satz

Klassen 5 und 6

Sekundarstufe I

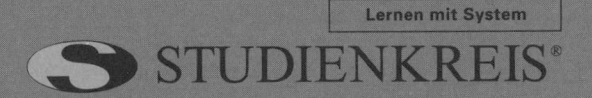

Lernen mit System

STUDIENKREIS®